En souvenir de Mr. Bird (1984-1991),
qui entra, un jour d'automne, par la fenêtre
de mon appartement à New York.
Il adorait plus que tout chanter sur des airs d'opéra.
CM.

A ma sœur Françoise et à Christophe,
amoureux, eux aussi, du jardin du Luxembourg…
CKD.

© 1994, *l'école des loisirs*, Paris

Loi N° 49 956 du 16 juillet 1949,
sur les publications destinées à la jeunesse:
septembre 1994.
Dépôt légal: septembre 1994

Mise en pages: *Architexte*
Imprimé en Italie par *Grafiche AZ.*

PUCCINI

CANARI DE PARIS

par Claire Masurel
illustrations de Claude K. Dubois

PASTEL
l'école des loisirs

A Paris, il est 9 heures précises.
Monsieur Emile ouvre sa boutique et tous les oiseaux lui font fête.
Les perroquets parlent, le toucan crie, les colombes roucoulent, le mainate rit,
les perruches gazouillent et Puccini le canari chante sa plus jolie chanson.
«J'arrive, mes petits, j'arrive !»
Dans chaque cage, Monsieur Emile met des graines, de l'eau fraîche,
des feuilles de salade croquante et un quartier de pomme.
«Préparez-vous, les clients vont arriver !»

Chaque jour, des oiseaux quittent l'oisellerie avec
leur nouveau maître. Puccini, lui, attend toujours.
Pourtant, de tous les oiseaux, c'est lui qui chante le mieux.
«Jamais personne ne m'entendra avec ce chahut!»
Puccini est très malheureux.

Aussi, quand Monsieur Emile oublie de refermer la porte de sa cage,
il en profite pour s'échapper.
Le cœur léger, il s'envole à l'aventure.

Comme c'est grand Paris !
Puccini est étonné de voler si haut, de voir si loin !

Perché sur un réverbère, il observe les Parisiens.
Où courent-ils donc ? Où vont toutes ces voitures et ces grands autobus ?
Quel bruit ! Ce n'est pas un bon endroit pour chanter… Puccini s'envole.

Non loin de là, de grosses machines font un vacarme terrible
et soulèvent des nuages de poussière.
Ici non plus ce n'est pas un endroit pour chanter…

Etourdi, le canari s'enfuit à toute vitesse.
Là, par-dessus les toits, des oiseaux tournoient.
«Me voici! Je suis Puccini, canari de Paris!
Je vais chanter et me faire des tas d'amis!»

«Mais où sont passés les oiseaux?»
Puccini les aperçoit sur le trottoir et les rejoint en quelques coups d'ailes.

Très curieux,
les moineaux de la ville l'entourent.
«Qui es-tu? D'où viens-tu?»
«Comment t'appelles-tu?»
«Quelle belle couleur tu as!»

«Je m'appelle Puccini
et je suis chanteur.
Ecoutez…»
Puccini chante
de toutes ses forces,
de tout son cœur.

Hélas, les bruits de la rue couvrent sa jolie voix.
«Il y a un grand jardin tout près d'ici.
Tu y seras mieux pour chanter», disent les moineaux.

«Viens, nous allons te montrer le chemin.»
Et ils s'envolent en direction du Jardin du Luxembourg.

«Comme c'est beau! Comme c'est calme!» s'écrie Puccini.
«Ici au moins, je vais pouvoir chanter…»

Mais trois gros pigeons s'approchent:
«Oooh, un oiseau jaune! Tu te crois au cirque?»
Ils roucoulent et se moquent de lui.

Vexé, Puccini se cache derrière le bassin.
Il commence à avoir faim. Où trouver des graines dans ce jardin ?
Jusqu'à présent, il n'avait connu que sa cage dorée.
Il était logé, nourri, chauffé…

Un petit garçon veut partager son goûter avec lui,
mais un merle gourmand lui vole
tous les morceaux de gâteau.

«C'est vraiment pas juste!» soupire Puccini.

«La liberté, c'est bien joli, mais ce n'est pas une vie pour un canari. Même ce chien a un maître…»

«Qui pourrait bien m'adopter ?
Je suis là et personne ne me voit. Personne ne m'entend.»

«Ce qu'il me faut, c'est une vraie maison:
on me donnera à manger, on m'aimera et je chanterai toute la journée!»

Il y a des milliers de fenêtres.
Des fenêtres fermées, des fenêtres toutes noires.
Laquelle choisir ?

Tiens, celle-ci est différente.
Il y a de la lumière, des fleurs, des plantes.
Puccini s'approche plein d'espoir.

Mais, horreur, deux chats bondissent toutes griffes dehors !
Le cœur battant, Puccini s'envole très haut dans les nuages.

Le soir est tombé. Il fait froid. Puccini cherche un abri pour la nuit.
Il atterrit sur le toit d'un grand bâtiment et, tout frissonnant,
se blottit dans un coin.

Mais d'où vient cette musique merveilleuse?
Puccini quitte son refuge et courageusement,
il pénètre dans la grande maison inconnue.

Quel drôle d'endroit !
Puccini passe devant un miroir bien plus grand que celui de sa cage.

Il descend le long des escaliers.
La musique est de plus en plus proche…

«Elle est là, je l'entends!» s'écrie Puccini.

Sur la scène,
une dame à la voix merveilleuse chante dans un rayon de lumière.
Puccini oublie la faim, le froid, la peur. Il rejoint la belle dame et,
les plumes gonflées de bonheur, il se met à chanter avec elle.
De la salle monte un tonnerre d'applaudissements. Il pleut des roses.

Entre deux révérences, la chanteuse murmure au canari perché
sur son doigt: «Viens donc chez moi, petit oiseau porte-bonheur.»

Et depuis ce soir-là, c'est ici que vit Puccini,
le plus heureux canari de Paris.